劉福春・李怡 主編

民國文學珍稀文獻集成

第二輯

新詩舊集影印叢編　第67冊

【姜卿雲卷】

心琴

上海：古今圖書店 1925 年 4 月初版

姜卿雲　著

花木蘭文化事業有限公司

國家圖書館出版品預行編目資料

心琴／姜卿雲　著 — 初版 — 新北市：花木蘭文化事業有限公司，
2017〔民 106〕
190 面；19×26 公分
（民國文學珍稀文獻集成・第二輯・新詩舊集影印叢編　第 67 冊）
ISBN 978-986-485-151-5（套書精裝）
831.8　　106013764

民國文學珍稀文獻集成・第二輯・新詩舊集影印叢編（51-85 冊）
第 67 冊

心琴

著　者　姜卿雲
主　編　劉福春、李怡
企　劃　首都師範大學中國詩歌研究中心
　　　　北京師範大學民國歷史文化與文學研究中心
　　　　（臺灣）政治大學民國歷史文化與文學研究中心
總 編 輯　杜潔祥
副總編輯　楊嘉樂
編　輯　許郁翎、王筑　美術編輯　陳逸婷
出　版　花木蘭文化事業有限公司
社　長　高小娟
聯絡地址　235 新北市中和區中安街七二號十三樓
　　　　電話：02-2923-1455／傳眞：02-2923-1452
網　址　http://www.huamulan.tw 信箱 hml 810518@gmail.com
印　刷　普羅文化出版廣告事業
初　版　2017 年 9 月
定　價　第二輯 51-85 冊（精裝）新台幣 88,000 元

心琴

姜卿雲 著

姜卿雲（1904 ～ 1985），浙江蘭溪人。

古今圖書店（上海）一九二五年四月初版。原書三十二開。

心琴

亞元
心琴

心琴

卷頭語

心琴一曲，
求慰知音。
流淚兩行，
尋覓同情。

我願一曲心琴，
傳到天下知音人的耳畔。
更願兩行熱淚，
流入人間同情者的心中。

一九二三年
七月十六日
吟白於西子湖畔之回香亭下

影小之者作

查序

姜君卿雲，昔曾與余同學於浙江第一中校；今彼肄業於杭州廣濟醫科大學。嘗貽書於余：以生活之乾燥，寂寞爲苦；余輒關知所以慰之。今彼將心琴詩集索余序，余以種種原因，未可許之。惟余夙以無所慰之而惘悵，得此心琴，似可稍稍解矣。

蓋姜君之煩悶，姜君之天才使之也；今彼之天才既獲解放，彼之煩悶自亦可泯滅矣。余因樂觀止極。

心琴余讀覺，不敢妄以直覺之批語評之，則曰：「天才之解放，多好創作」。幷以此詩呈之。

心琴

『心琴之音樂不揚，
何怪吾友常日以鬱鬱；
苦澀之愁淚不流，
何怪吾友常日以憂憂。

『欲哭無淚，
欲揚無音，
涸兮我心，
何所待兮慰君？

『「自慰」究竟般涅。
以其向宇宙中求慰，

毋寧歸還君之靈府，

使君心琴奏兮愁淚流。

『吾友，信乎？——

「自慰」究竟般涅。

貧乏之我，

更無餘言相晢矣！』

（一九二四，九，二八。）

查士元於上海，東亞同文書院。

琴　心

4

自序

心琴上的心絃撥動，要奏就任情隨意地奏了。那顧得人間有沒有知音？ 眼眶中的熱淚湧現，要流就推波助浪地流了。那管到人們表不表同情？ 滿腔的孤憤，無從發洩。只有一曲心琴吧！ 心坎的悲哀，將何表現，也許是兩行熱淚吧！

心琴是我三年來隨興寫聲所成的作品，個人浪動的表現。是我心琴上揚出音樂的餘聲。眼眶中流出熱淚的淚痕。何嘗是詩？我更不敢以詩人自命。

心琴

我的作品。這麼幼稚，而又這麼拙劣；深抱慚愧！但我自信所發洩的，都是由心坎中湧出，而後從筆尖跳下的。曾誠懇地把『自我』溶化我的作品中。藝術的工拙，過去的我，當負其責的。我堅決的志願，只是自勉今後的將來。

去年的夏天，我友查君士元，來信說起印行詩集。今年的秋日，又得他寄來的序。我以為微弱的作品，也不妨付印以見志。

此集去年已編成。但今年所寫的詩，也加入其中了。集內未有註明作於何處底幾首，都是在家鄉時所寫的。

2

我於此處謝謝替此集做序的查士元君和畫封面畫的胡亞光先生，寫封面字的沈玄廬先生題卷頭語的吟白君。

（一九二四，十一，十四。）

卿雲於杭州，廣濟醫科大學。

琴　心

4

心琴目錄：

卷頭語

查序　自序

第一輯：

第　二　輯：

琴　心

第 三 輯：

第 四 輯：

第一輯

心琴

（一）

心琴，
於沉默中奏着。
縹緲間的輭笑低吟，
不是耳能聽，
只有心能領會。

（二）

心絃震動，
心波激蕩，
知音人啊！

心琴

2

你瞭解我的心琴了。

（三）

寂寞呵！
心靈之燈燃着了。
這時的心琴，
開始奏伊的音樂了。

（四）

滿腔的心事，
由心琴上奏出來吧。
然而奏到悲哀時，
可是心絃斷了！

（五）

冷靜，
是心琴開奏的動機。
熱鬧，
是心琴休息的時期。

（六）

同情人的情絲，
裝上我的心琴；
做我的心絃，
奏出和諧的同情之曲了。

（七）

心琴之音，
淒清婉轉地；

表現出個中的幽怨了。

（八）

縹緲而玄妙的琴聲。
不是知音人，
怎能了解呢？

（九）

我把一曲心琴，
覓尋天下知音人，
和我共奏同心之曲。

（十）

我願這一曲心琴，
奏給天下同情人，

和我一奏同情之曲。

（一九二二，十二，二六。）

——於浙一中校——

心花

心田裏的心苗，
受了愉快之泉的灌溉；
於是心花開了。

（一九二三，五，二十。）

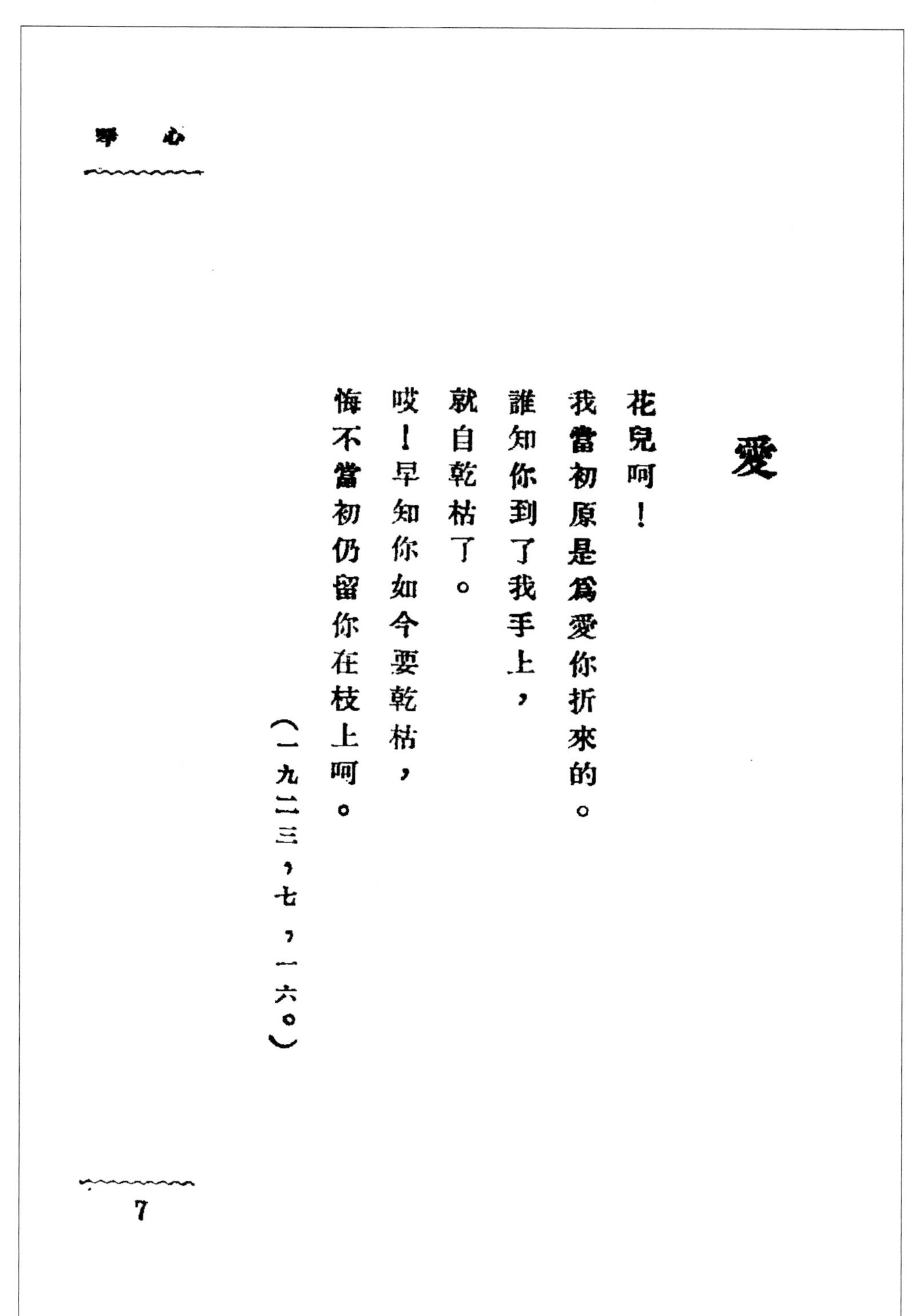

愛

花兒呵！
我當初原是爲愛你折來的。
誰知你到了我手上，
就自乾枯了。
哎！早知你如今要乾枯，
悔不當初仍留你在枝上呵。

（一九二三，七，一六。）

情之波

情之波，
在我心中澎湧澎湧了。
我與愛人乘着愉快之船，
在波中蕩漾着。

（一九二三，五，二十。）

同情

窗外吹來一片淒聲，
窗內的臘燭流下淚了！

（一九二三，九，一三于杭州。）

採花

走入荊棘叢中，
去採我心愛之花。
採到了花兒，
刺傷了我的手。

（一九二三，七，一八。）
——脫稿于湖畔——

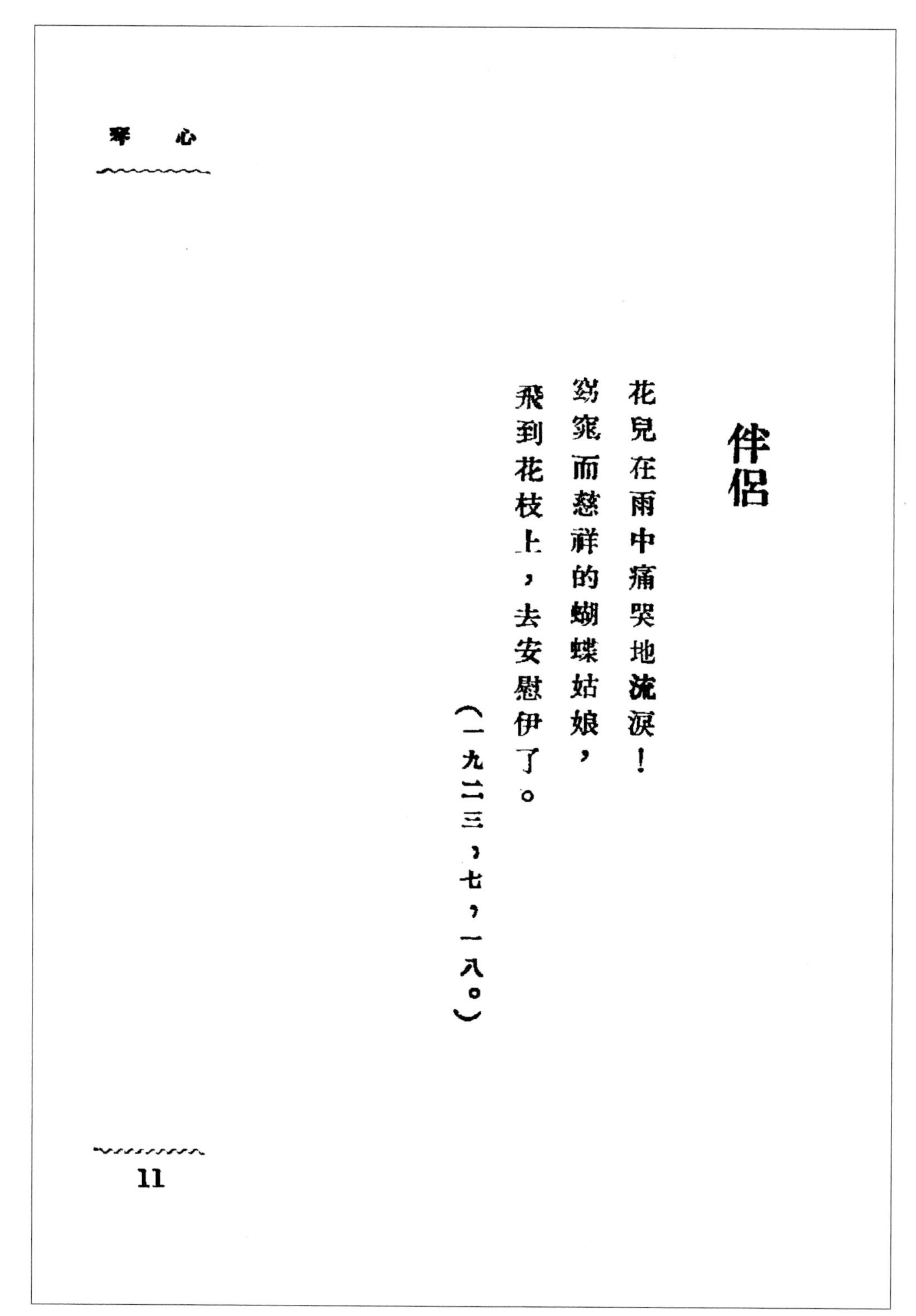

伴侶

花兒在雨中痛哭地流淚！
窈窕而慈祥的蝴蝶姑娘，
飛到花枝上，去安慰伊了。

（一九二三，七，一八。）

花隱

躲在葉底下的花兒對我說：
「如沒有蜂姑娘告訴你，
你也不曉得我了。」

（一九二三，四，五。）

月下

燦爛的繁星，
仰望着——
獨明的孤月；
微光中，
閃閃地，
這麼頌揚孤月呀！

（一九二四，十，十五。）

——于廣濟醫校——

凝視

伊明慧晶瑩含情的眼睛，
對着我凝視；
領會得我心裏要說出底話了。

（一九二四，十，四。）

——於廣濟醫校——

詩人的心

詩人的心，
是太陽下的一顆露珠。
明慧晶瑩地，
對着人間微笑，
對着自然微笑，
對着一切微笑。

（一九二四，十，四。）

——於廣濟醫校——

閉目

在想思裏晝夜盼望着底愛人啊！
我閉着眼睛，
就來到面前了。
我想開着眼睛，
去和伊握手；
誰知又飄然而去了。

（一九二四，九，八于杭州。）

沉默

沉默，
是超乎語言文字之外的。
於神秘中
領會了一切，
戰勝了一切。

（一九二四，十一，六。）

——于廣濟醫校——

病中

與枕席纏綿的我，
握着S君的纖手。
兩行心酸的熱淚中，
照出雙眸凝視的伊。

（一九二三，三，一四于枕上。）

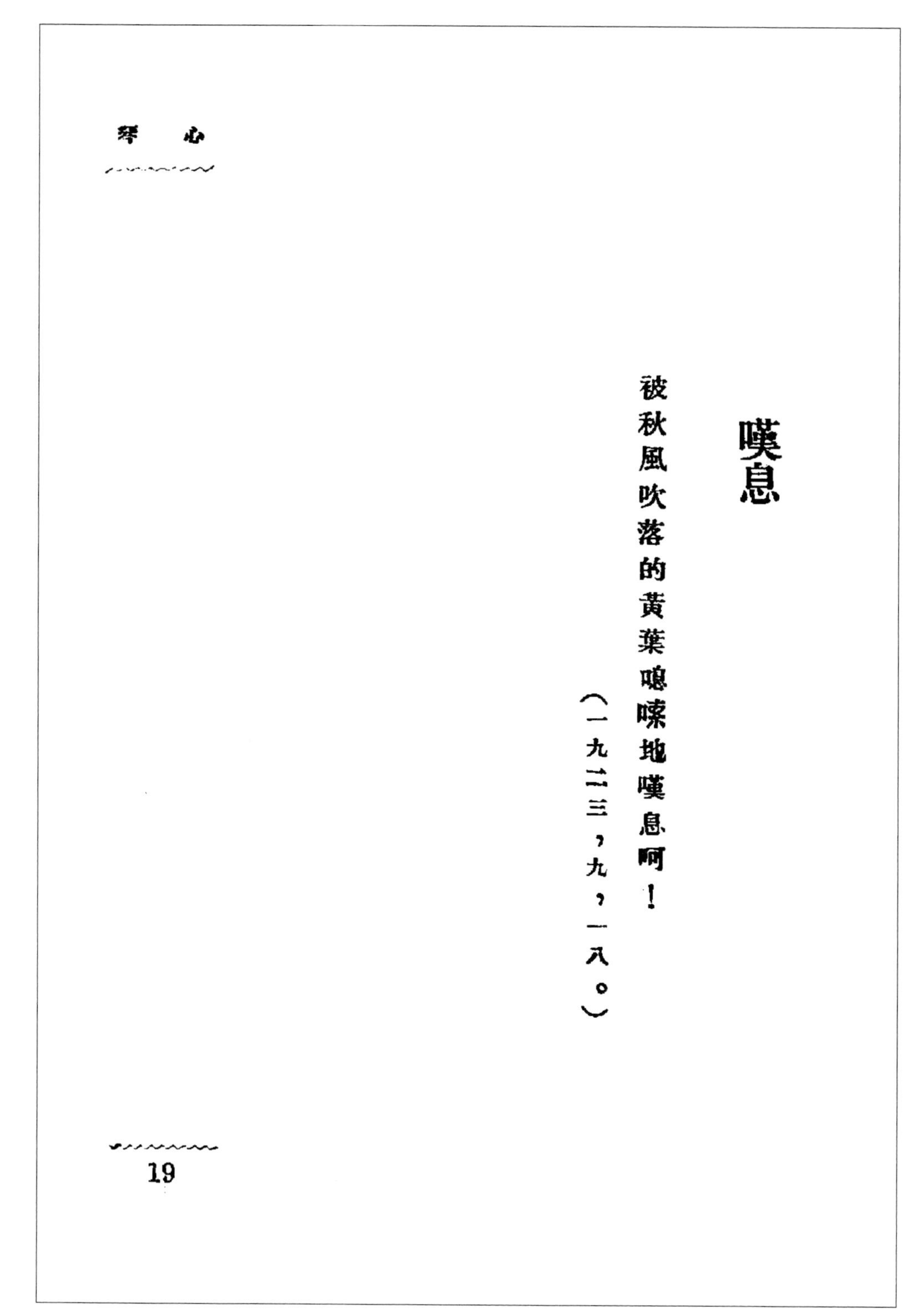

嘆息

被秋風吹落的黃葉嗚嗦地嘆息啊！

（一九二三，九，一八。）

含羞

含羞而躲避的月亮，
射出隔雲的青光。
引人思索，
更是耐人尋味啊！

（一九二四，十，十六。）

——于廣濟醫校——

夕陽

夕陽將要西下了。
從山後射出的一線紅光，
照着楊柳枝頭，
　碧叢草上。
晚霞映入波心，
湖水都染紅了。
這樣地燦爛，
這樣地顯耀，
哎！這是最後的餘光，
何嘗有點暮氣呀？

琴心

（一九二二，七，六于浙一中校。）

22

春雲

春雲彌茫，
春雨絲絲。
春雲，
　春雨，
織就了詩人的情緒。

（一九二四，二，二七于杭州。）

腦海

假如我腦中有海，
——是情愛的海；
願我的愛人乘着快樂之船，
在我腦海中時時蕩漾着。

（一九二四，十，二一。）

——于廣濟醫校——

想思

長夜中綿綿縷縷添不盡枕上的想思啊！

（一九二三，九，一四於湖畔•）

細流

花徑間的細流，
在微波中的低吟；
我沉默地領解了。
（一九二四，二，一九于西子湖畔。）

初晤

初晤時，
伊凝注的雙眸，
我嚴冷的微笑。
我的心與伊的心，
互相溶化了；
於神妙中，
流露伊與我含蓄的深情。

（一九二二，九，五。）

——于浙一中校——

怎能忘却

怎能忘却。
夏之夜，
　月明下，
長堤上。
伊與我攜手的同行，
對訴的細語。
過去啊，
　過去了！
不堪回憶。

（一九二三，七，二三于杭州。）

雪中

（一）

雪中的湖山，
好似變成白銀的世界。
開徧了白的花，
普照着愛之光。

（二）

在這一片白雪中，
只有我，吟白，勇馳，
同行蹈雪。
凜的北風吹面，

別有奇妙的慰安，

（三）

回顧我們蹈過的足印，
却被雪花蓋過了。
多謝雪花，
深藏我們的踪跡呵！

（四）

冬青樹被雪壓得只是低頭了。
鞠躬微笑地，
迎接雪中的遊客。

（五）

混濁的世界，

也有這麼潔白的湖山。
憔悴的枯枝上，
佈滿着晶瑩的雪花。

（六）

使我最不易辨明的雪中梅花。
那幾朶是眞的，
那幾朶是假的？

（七）

枝上休息的小鳥，
被我驚飛了。
伊把花枝上的雪。
灑得我滿頭。

（八）

吟白愛玩雪，
把雪抱在手裏。
誰知不忍受熱力的愛，
慢慢地消融了。

（一九二三，一・二三。）

——於西冷印社——

第二輯

心靈

（一）

心靈之燈，
於沉默中燃着了！
愛的光，照着我沉沉底思路。

（二）

寂寞呵！
無端的想思，湧上我的心頭了。

（三）

花在寂寞而淒涼的深夜裏。
冷靜地，只有露珠做伊底伴侶了。

（四）

詩人絕妙的句兒，

不是筆能寫口能唱的；

只能流漾於沉思默想之中。

（一九二四，十一，七。）

——于廣濟醫校——

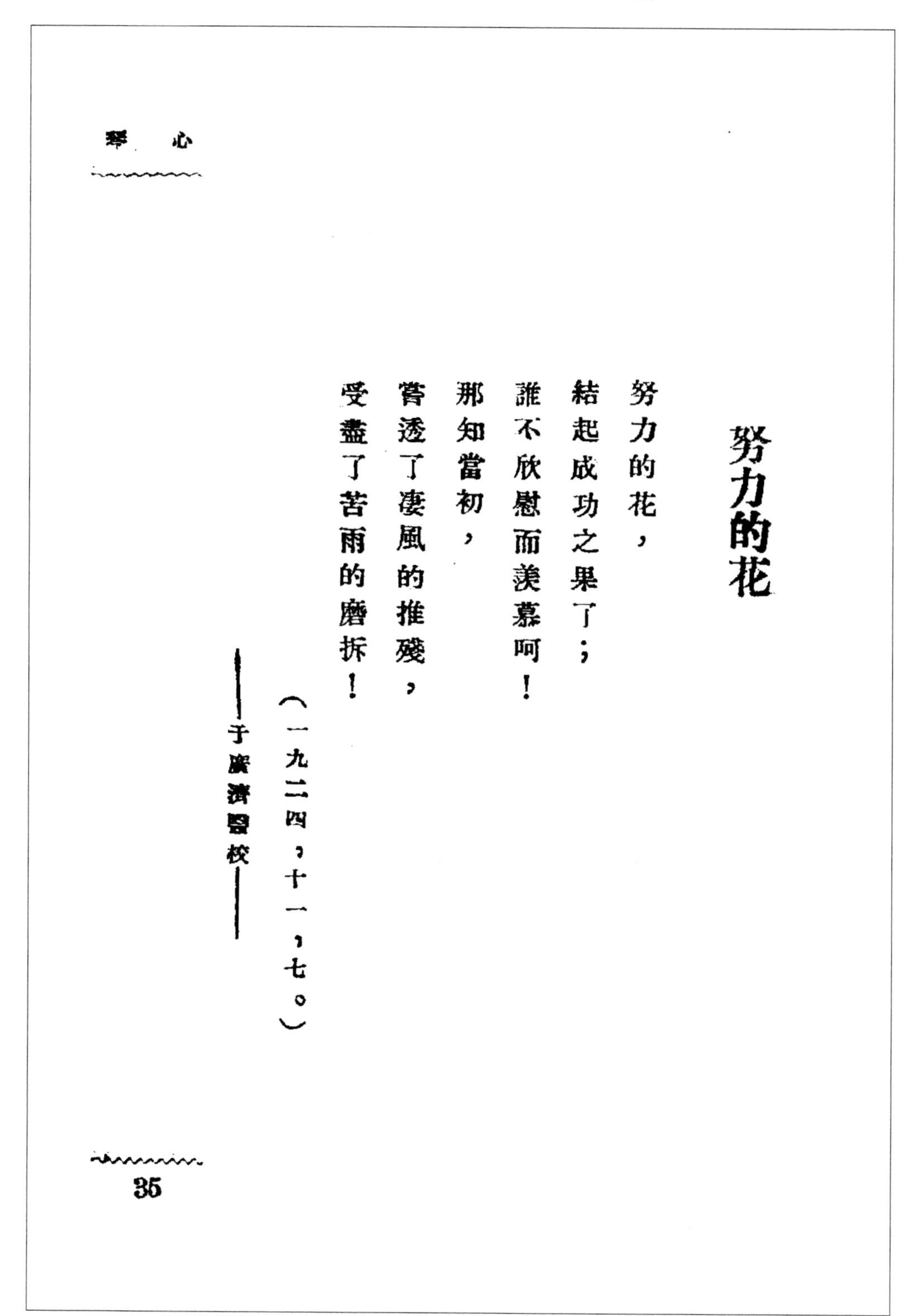

努力的花

努力的花，
結起成功之果了；
誰不欣慰而羨慕呵！
那知當初，
嘗透了淒風的推殘，
受盡了苦雨的磨拆！

（一九二四，十一，七。）

——于廣濟醫校——

耐苦

橄欖對我說：

「你不要厭苦，

忍耐着，細嚼吧！

苦中終有趣味出來的。」

（一九二三，八，一四于杭州。）

不屈

草兒究竟不及石頭堅硬呵！
草兒被風吹得只是拜了，
石頭猶依然挺立着。

（一九二二，三，一六于浙一中校。）

梧桐

被殘的梧桐，
傷痕有這許多！
可是那些有傷痕的，
愈見得長大了！

（一九二二，三，一四，于浙一中校。）

風與花

溫柔的微風，
吹得花兒微笑。
忽然微風發懊惱，
變成狂風了！
嫩弱的花枝，
被風推倒。

（一九二三，三，一四。）

蓮子

蓮子呵！
人只曉得你的肉甜，
誰嘗到你的心苦？

（一九二三，四，七。）

流雲

片片的流雲，
　吹來拂去，
　　茫無定處。
漂泊的人生，
也似天際的流雲吧！

（一九二四，十，八。）

——于廣濟醫校——

纖草

纖弱的小草呵：
你被瓦礫壓住了。
然而瓦礫之間，
猶有餘隙。

＊　＊

纖弱的小草呵！
我勸你乘這餘隙，
吸收上帝放下的露珠，
放出你鮮麗的花兒。

（一九二三，四，三。）

煩惱

一縷縷抽不盡底煩惱絲呵！
隨着我底年齡增加了。

（一九二三，八，一五于杭州。）

夢中

夢中遇到的如意事，
是何等的愉快呵！
可是醒後回憶時，
便覺惆悵了。

（一九二二，九，七。）

——於浙一中校——

竹

竹呵！
你本是虛心的。
為甚麼要多生枝節呢？

（一九二三，三，七。）

秋色

慘淡的秋光，
冷凜的秋風，
青草萎了，
黃葉兒落了。

籬下的秋菊，
還孤傲地開花。
石畔的芙蓉，
還微笑地吐艷。

在這世上沒有光，
人間沒有愛，
秋天沒有花的時候。
秋菊呵，
芙蓉呵，
放着你們的花，
吐着你們的艷。
點綴慘淡的秋色，
來安慰枯燥的人生。

（一九二四，一一，脫稿於廣濟醫學。）

漫漫的長夜

漫漫的長夜，
不忍地耐煩呵！
點點滴滴的雨聲，
也許是點點滴滴的新愁吧！
爲甚添不盡呢？
是雨水吧！
也洗不了我的舊恨。
漫漫的長夜，
不忍地耐煩呵！

（一九二四，九，七。）

荊棘

荊棘呵！
人只看到你的皮綑，
誰曉得你的心直？

（一九二三，三，八。）

歸家

門外的青山聳翠，
池中的碧水悠悠。
青山呵，
碧水呵，
依舊。
一年沒見面的父親，
手中添了一根護杖。
母親的額上，
更加了幾線縐紋。
妹妹說：

「哥哥啊，
你比去年瘦了！」

（一九二三，五，二八。）

彷徨

灰色的黃昏，
彷徨歧路的飛鳥。
唉！失掉你們的歸路了。
趕快地尋你們的前途，
覓你們的歸宿呵！

（一九二四，一一，十。）

——于廣濟醫校——

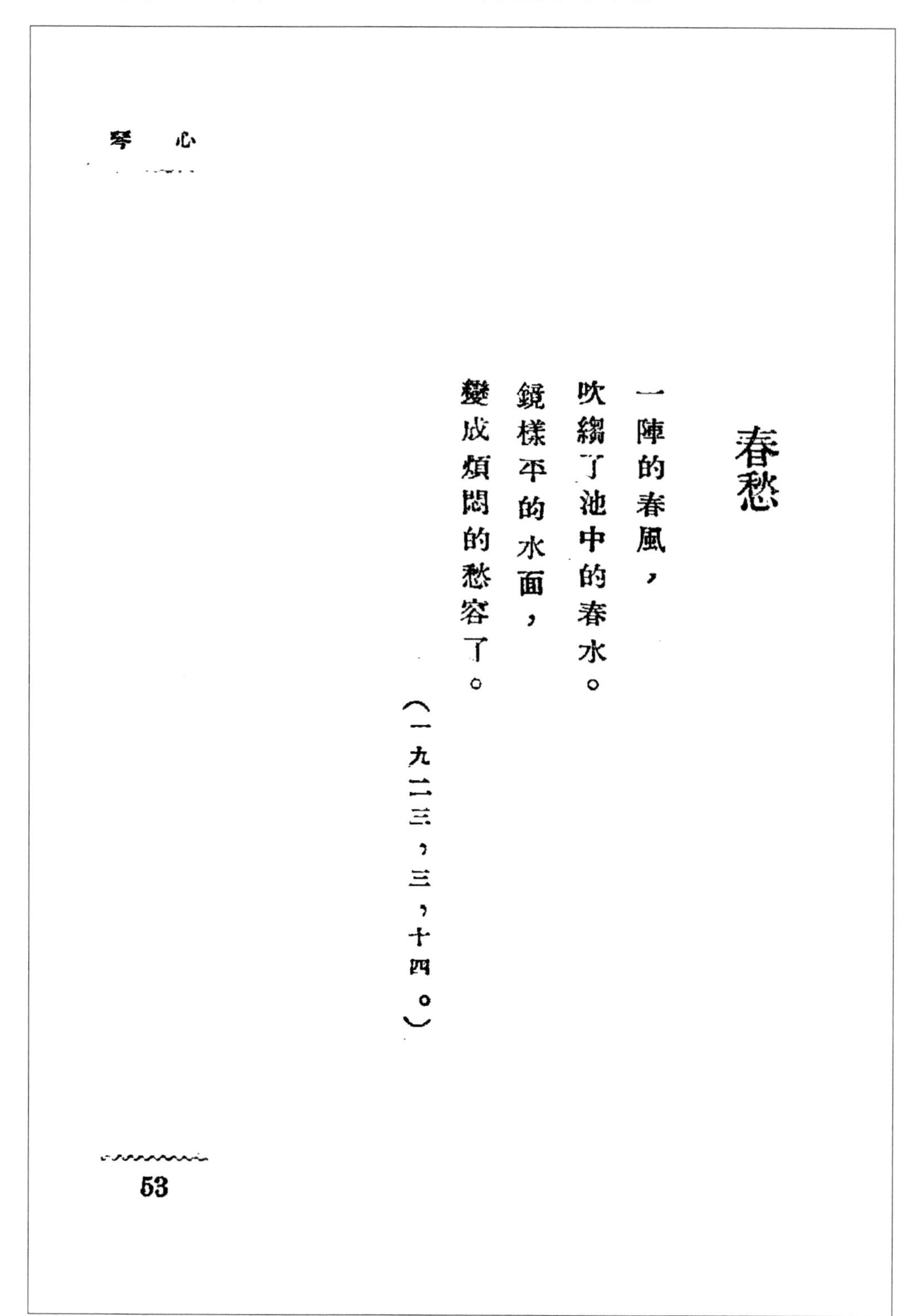

春愁

一陣的春風，
吹縐了池中的春水。
鏡樣平的水面，
變成煩悶的愁容了。

（一九二三，三，十四。）

彩虹

雨過後的彩虹，
鮮艷明媚地；
何等地耐人尋味呵！
可是不久就消滅無形了。
未經痛苦鍛鍊的愛情，
頃刻間愉快中的甜蜜，
也只有這麼一瞬吧！

（一九二四，一一，四，於杭州廣濟醫校。）

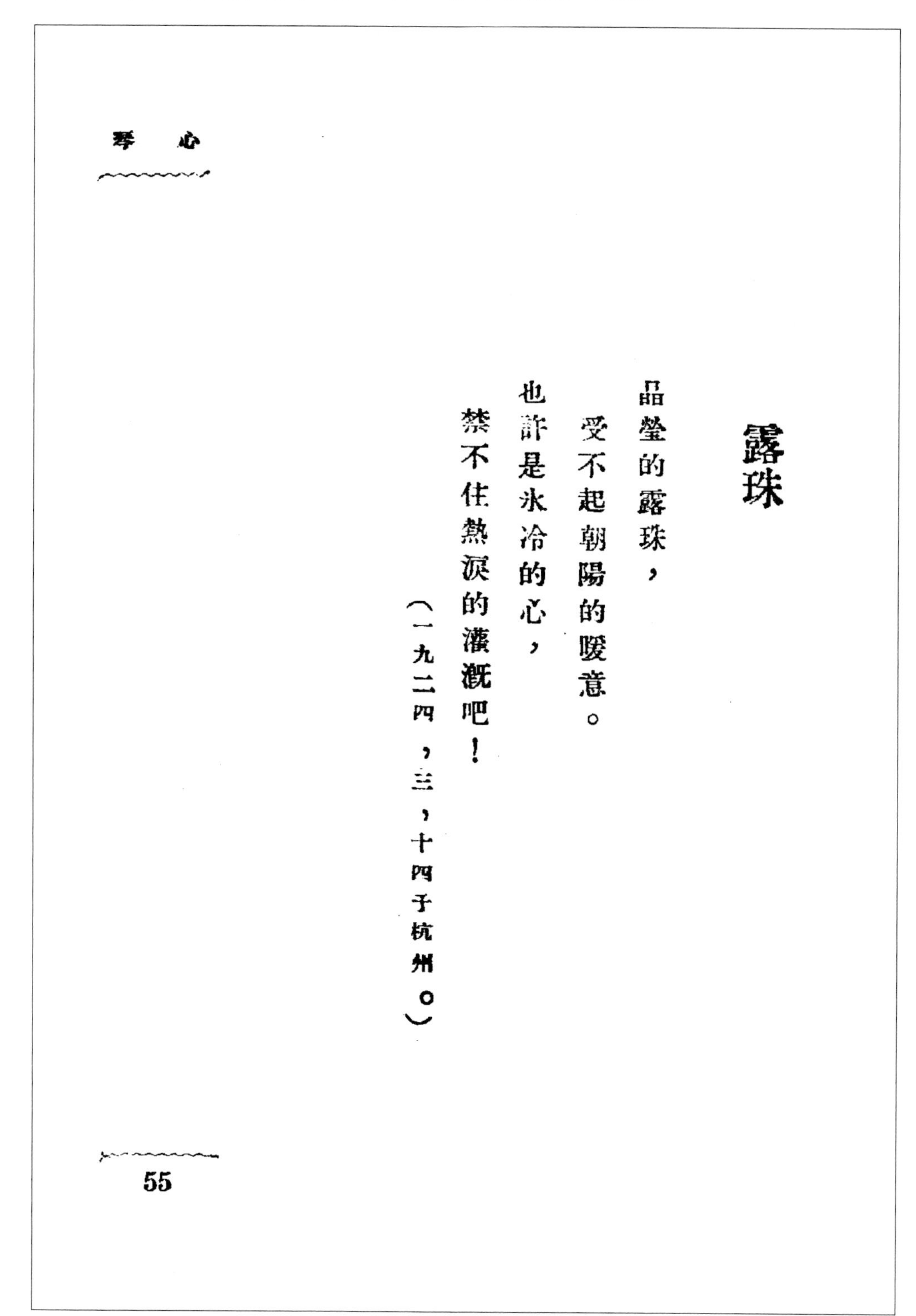

露珠

晶瑩的露珠，
　受不起朝陽的暖意。
也許是氷冷的心，
　禁不住熱淚的灌溉吧！

（一九二四，三，十四于杭州。）

故鄉

青山啊，
綠水啊，
夕陽斜照的叢林，
野花相雜的淺草，
牧童的簫聲，
樵子的歌聲，
耕牛的嘆聲，
農人的笑音；
咳！如今是疏遠了。

（一九二二，四，七。）

——于浙一中校——

錢塘江畔別吟白君

陣陣的浪花，
替離人嘆息。
聲聲的汽笛，
迫離人作別。
我對着敬愛的吟白，
只是凝視。
心中含着底許多臨別話，
口裏半句兒也未曾說出。
嗚咽道『來時再見』。
伊給我的臨別贈言，

只道『前途珍重』。
我心坎中感謝領受。

＊　＊

我敬愛的吟白，
在江畔與我握手時。
伊明慧晶瑩底眼眶裏，
那麼一紅。
我的兩行傷心之淚，
只得向內流了！

＊　＊

無情的汽笛，
一聲長嘯；

載人離別的輪船開了。
回頭望着江畔，
我敬愛的吟白，
還獨自在那邊悵望。

（一九二三，七，十。）
——于歸途中——

倚着

倚着X字樣的欄杆，
望着D字樣的月亮。
低頭思量，
X字樣的欄杆啊！
我前途的未知數，
究竟等於什麼呢？
擡頭細望：
D字樣的月亮呵！
這時我的愛人，
也許能夠同照嗎？

心琴

（一九二三，七，一四。）

62

誤會

誤會呵！
為我與伊築成一重隔膜了。
眞情摯意的諒解之神呵！
求你撤開伊我間的隔膜，
普照着情愛之光。

（一九二四，十，二六。）

——於廣濟醫校——

默禱

全能的上帝，
慈悲的天父。
允許我的祈求，
赦我的罪，
賜我的恩。
使我的愛人，
消滅心田中的誤會；
蔓延着愛之苗，
上帝啊！
天父啊！

我感謝你。

禱告

全能的上帝，
慈悲的天父。
允許我的祈求：
赦我的罪，
賜我的恩。
使我的愛人，
排除心坎中的隔膜，
結滿着愛之果。
上帝啊！
天父啊！

我感謝你。

（一九二四，一〇，二五晚。）

——於廣濟醫校禮拜堂——

囘憶

（一）

往事何須囘憶。
更也不堪回憶！
然而無意中，恍忽地湧現心頭了。
　不堪囘憶的往事呵！
使我加了無限底悵惘。

（二）

這些話使我再也不能忘的，
　臨別時母親珍重的吩咐，
在病中愛人給我的慰語。

（三）

綠蔭之下，
躺在叢草之上，
聽着田中蛙的歌聲；
這是我往日的甜蜜生活。
如今依舊綠蔭，
　依舊叢草，
　依舊蛙聲；
可是換過了一個童年時代的我。

（四）

碧桃花下，
綠水池邊，

忽然地記起。
去年春日，
也有這麼一瞬。

（五）

現在的我，
不如五年前的我了。
五年後的我，
又當怎樣呵？

（一九二二，十，八。）
——於浙一中校——

自憐（自題小影）

伊憔悴的姿容，
還帶着慘淡底強笑。
做我二十年的伴侶，
酸甜苦辣，共同嘗飽。
披開我二十年的哀史，
灑淚，流血；
只有伊能知道。
我與伊同心相慰，
更與伊同命相憐。
我不與伊相憐，

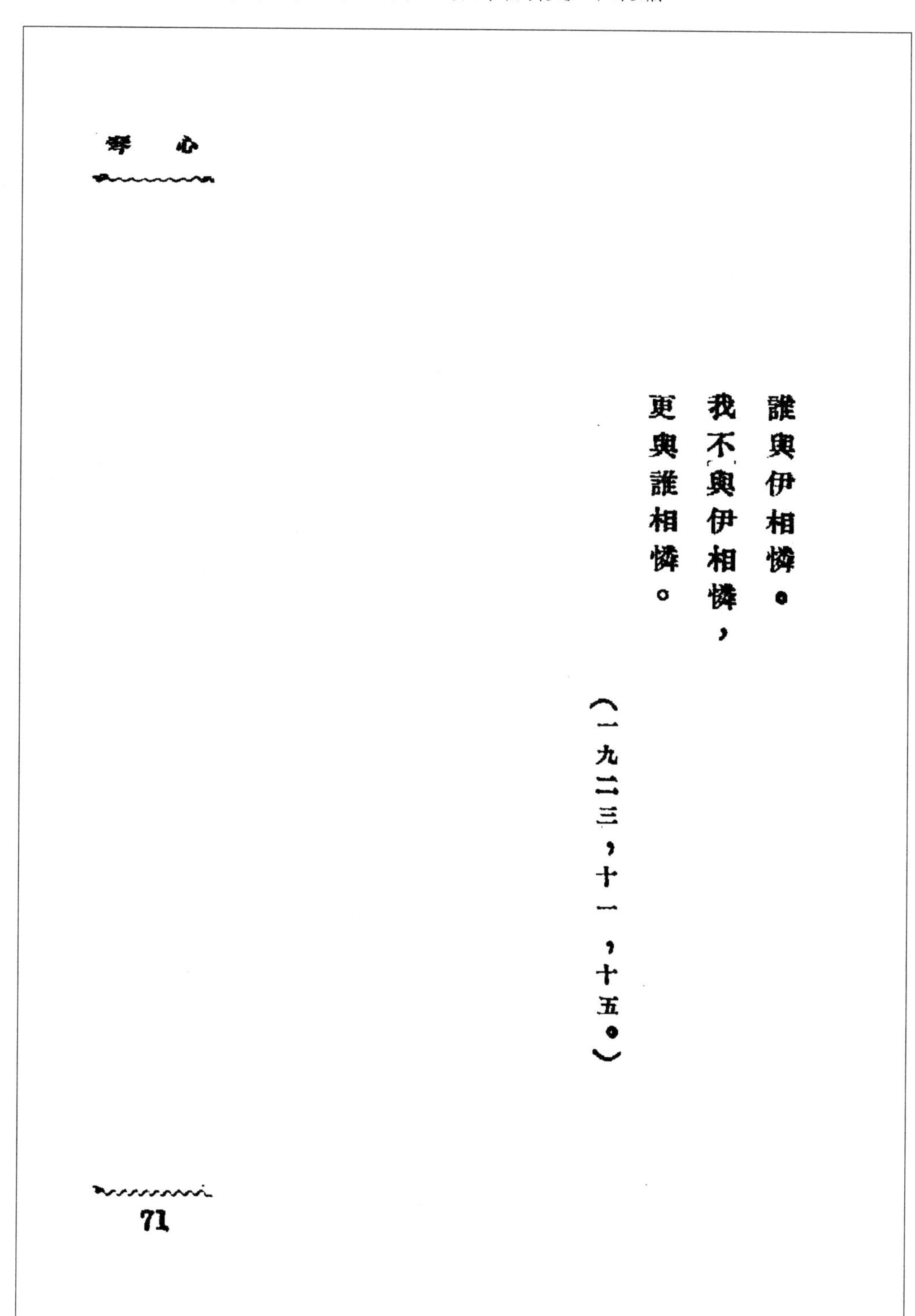

誰與伊相憐。
我不與伊相憐，
更與誰相憐。

（一九二三，十一，十五。）

命運

命運呵！
你是人生的使者。
生命的前途，
於神妙中，都由你支配了。
人生之車，
乘着命運的軌道上開去，
煩悶，愉快。
是你的必經之路吧！

（一九二四，十，七。）

——于廣濟醫校——

人生

滿枝的繁花，
被風吹落水面。
水上的落花，
隨水漂流。
縹緲的人生呵，
也只有這麼一瞬吧！
（一九二四，四，一四于杭州。）

琴　　心

74

第三輯

薔薇

（一）

一枝白色薔薇，
開在碧水池邊。
池邊芳草萋萋，
依依伴着薔薇。
純素的花蕊，
銀白的花瓣，
碧綠的花萼，
青青的嫩葉。

心琴

娟麗可掬的姿容，
噴出清淡的天香，
露着爛漫的天眞，
顯出窈窕的精神，
哎！人都染着俗艷凡塵，
爲何你獨自瑩潔純淨？

* *

皎皎的明月，
照着薔薇。
圓圓的清露，
宿在花心。
悠悠地對着我，

一點頭復微笑。
自然的光景，
充滿了溫柔的愛情。
自然的美，
引起了我自然的愛。

我願皎皎的明月，
時時照着薔薇。
圓圓的清露，
時時潤着花心。
更願心愛之花，
時時戀着我的心坎裏。

（二）

樹枝上的多情小鳥，
開始奏伊們抒情之歌。
我感激伊們，
因爲伊們伴着我心愛之花，
不使我心愛寂寞——無聊。

＊　＊

溫柔的朝陽，
灑着薔薇。
花上添了些燦爛的金光，
愈覺得秀麗可觀。

＊　＊

我願多情的小鳥，
時時伴着薔薇。
溫柔的朝陽，
時時灑着薔薇。
更願心愛之花，
時時戀着我的心坎裏。

（三）

無情的天，
起了暴風，
落下欒雨，
風吹掉我的帽。
雨濕了我的衣。

心琴

碧水池，
綠芳草，
依然如舊。
可是回憶到前夜照着薔薇的明月，
潤着薔薇的清露，
昨日灑着薔薇的朝陽，
伴着薔薇的小鳥，
如今一切都影藏形滅！
只剩得孤零零地的薔薇，
在暴風蠻雨中飄搖！

＊　＊

可恨的暴風和蠻雨，

總不休歇！
幾乎把我心愛的薔薇推倒。
唉！細幹弱質的薔薇，
怎能忍得暴風推殘，
又怎能忍得蠻雨磨折。
使我心愛之花，
戴着愁容，
垂淚欲泣！
我的眼圈中，
淚珠兒與雨同灑。
人們道：
「美人多薄命」

難道美花也如此！

（四）

雨晴了，
雲散了，
風息了，
花靜了，
池裏的水波平了，
芳草也停止跳舞了。
可是我的頰上，
還有未乾的淚痕。
花的蕊裏，
還含着未乾的淚珠。

（一九二一，四，六于浙一中校。）

晨露

湖畔幾株青新楊柳，
柳下一條蜿蜒石路。
路上我一個緩步閑人，
湖中映着殘月與疏星。

＊　　＊

頭上沐着微霧，
脚下濯着清露，
遠眺隱隱約約的山，
濃濃森森的樹；
都濛着漫漫的薄霧。

＊　　　　＊

園中老蒼蒼的松，
翡翠翠的竹；
葉上都著着碎玉般的清露。
路旁碧叢叢的芳草，
也含着純潔的珠露。

＊　　　　＊

晨風飄飄，
吹動芳草，
芳草搖搖，
搖搖成橫波。
橫波媚朝霞，

心琴

朝霞映芳草。
芳草微微笑，
微笑引我清想。
清想開我心花，
心花一開放，
靈魂隨風蕩！

（一九二二，四，三。）
——于浙一中校——

西湖小詩

（一）

去年殘冬離別的西湖，
今年見面時還認得我。
伊添上幾點紅花綠葉，
我却比去年瘦了！

（二）

人們贊西湖道：
同西子一般美麗。
我更羨慕她說：
有仙子那樣逍遙。

（三）

風雨中的西湖，

好似西子醉而狂了。

（四）

當夕陽照着湖水時，

西子含羞臉紅了；

——羞見湖畔的生疏遊客。

（五）

微風吹動湖水時，

西子微笑了；

這微笑，用慰湖畔的遊客。

（六）

彌茫的濃霧，
濛滿了湖山。
分不出那邊是山，是樹？
這恰似西子夢中的幻境。

（七）

白雪佈滿一片湖山時，
那裸體的西子，
伊含蓄着多少的自然之美。

（八）

湖中放出幾朵淡紅色的荷花，
好似西子頰上，點了顏脂；
更顯出伊的嫵媚姿容！

（九）

人坐小舟中，
影入水中流。
雲在天上行，
好似水底游。

（十）

沿堤的細柳如絲，
絲絲弄微波；
好似向誰細訴。

（十一）

西子改了素裝嗎？
這麼白茫一片，

——原來是月光普照。

（十二）湖心亭

湖心亭呵！
你的心眞平，
快要將同水平了。

（十三）阮墩

碧草叢叢，
柳色青青，
阮墩躲在湖中心。

（十四）平湖秋月

我是孤獨一人，
爲甚水裏的人對我笑，

地上的影對着我凝視；
——怕是平湖秋月夜裏吧。

（十五）白堤

白堤上的草花織綉，
好似女人的裙帶；
——是西子的裙帶。

（十六）蘇堤

蘇堤啊！
春已曉了，
却是人們還在春夢呢！

（十七）南屏晚鐘

南屏的晚鐘，

聲聲報着辛苦的漁父道：
「天已暮了」！

（十八）雷峯夕照

夕陽將沒了。
多情的的雷峯塔，
還戀着她；
好似不忍離別似的。

（十九）曲院風荷

曲院的荷風，
是甜蜜的。
不然，何以能吹醉了人心？

（二十）花港觀魚

花港裏的魚，
常常游着。
港畔的花，
何以不常常開着呢？

（二十一）西冷橋

西冷橋頭的美人，
伊杳然去了。
究竟幾時歸呢？

（二十二）孤山

孤山啊！
假若沒有白堤連着你，
西冷橋倚着你，

你眞要孤獨了！

（二十三）西冷印社

曲折精緻的西冷印社，
幽靜的妙境，
何等的耐人尋味呵！

（二十四）公園

公園啊！
你從前是王帝的行宮，
現在如何任平民遊逛呢？

（二十五）雙峯插雲

假若雙峯果然插入雲中。
那末，我的脚也蹈過雲端，

我的頭也碰到天了。

（二十六）三潭印月

島中的島，
湖內的湖；
三潭眞是多事，
把月兒印去。

（二十七）岳王廟

岳王廟的朱紅色，
怕是岳家軍底戰血染成嗎？

（二十八）棲霞嶺

假若有彩霞，果然棲留嶺上。
那末，我也與霞共過枕，

與霞接過吻了。

（二十九）玉泉（淸漣寺）

玉泉的魚啊！
你們自然游泳地笑着。
那些姊妹們，
在刀下哭着呢！

（三十）葛嶺

葛嶺的仙翁啊！
你旣長生不死，
何不重來遊逛你的故里呢？

（三十一）紫雲洞

紫雲洞啊！

走入你的清涼世界，
我熱烈的汗珠；
都給你了。

（三十二）雲林寺

雲林寺的觀自在啊！
人聲這樣煩鬧！
你未必能自在吧？

（三十三）飛來峯

如果飛來峯眞是飛來的，
那末，她的身體，
怕沒有這樣重吧！

（三十四）一線天

天空縮小了嗎?
不然，何以只看到一線呢!
（三十五）韜光觀海
韜光的眼睛眞大!
汪汪的錢江，
只看到白色一線。
（三十六）千歲巖
千歲巖啊!
你的年紀眞有千歲。
那末，世態炎涼，
也讓你看透了。
（三十七）天竺寺

天竺寺的菩薩啊！
慈悲心放在那裏？
寺旁吃丐叫餓哭着，
何以不去救濟他呢？

（三十八）　法雨泉

點點滴滴，
理安寺的法雨泉；
我的心絃，
被伊震動了。

（三十九）　北高峯

我立在北高峯上。
一幅天然的圖畫，

都印入我的眼底了。

（四十）霹雷亭

霹雷亭畔的流泉，
灣灣曲曲的。
爲甚聲音這樣蕭條？

（四十一）

山花帶泣似流血，
山上的姊妹們，
沒有一句話安慰她！

（四十二）定慧泉

多謝虎跑寺的定慧泉，
賜我一杯潔淨水。

洗淨了我心中的塵埃！

（四十三） 烟霞洞

烟霞洞被烟霞塞滿了！
個中的幽處，
誰敢冒險去探遊呢？

（四十四） 仙人洞

如果仙人洞眞有仙人，
我願棄了生平所愛，
走入仙人世界。

（四十五）

春之西子，
戴着滿頭珠翠。

蝴蝶兒在伊頭上跳舞，
蜂兒在伊耳旁唱着春之歌。

（四十六）

夏之西子，
插着淡紅的荷花；
好似離魂倩女。

（四十七）

秋之西子，
眉目含愁。
——爲着落葉深秋！

（四十八）

冬之西子，

插着純潔的梅花；
好似淡粧的幼婦。

（四十九）

西子啊！
你眞善於粧束。
究竟何時顯你本來的面目？

（五十）

我傾入西子的懷中，
伊擁抱着我微笑。
這溫柔的微笑，
洗脫我的煩惱——多少？

（一九二二，四，十一。）

——於浙一中校——

律己五銘

（一）

對己要信。

對人要愛。

（二）

不良的環境，

當他是苦口的良藥。

（三）

到痛苦中尋快樂。

與患難做伴侶。

（四）

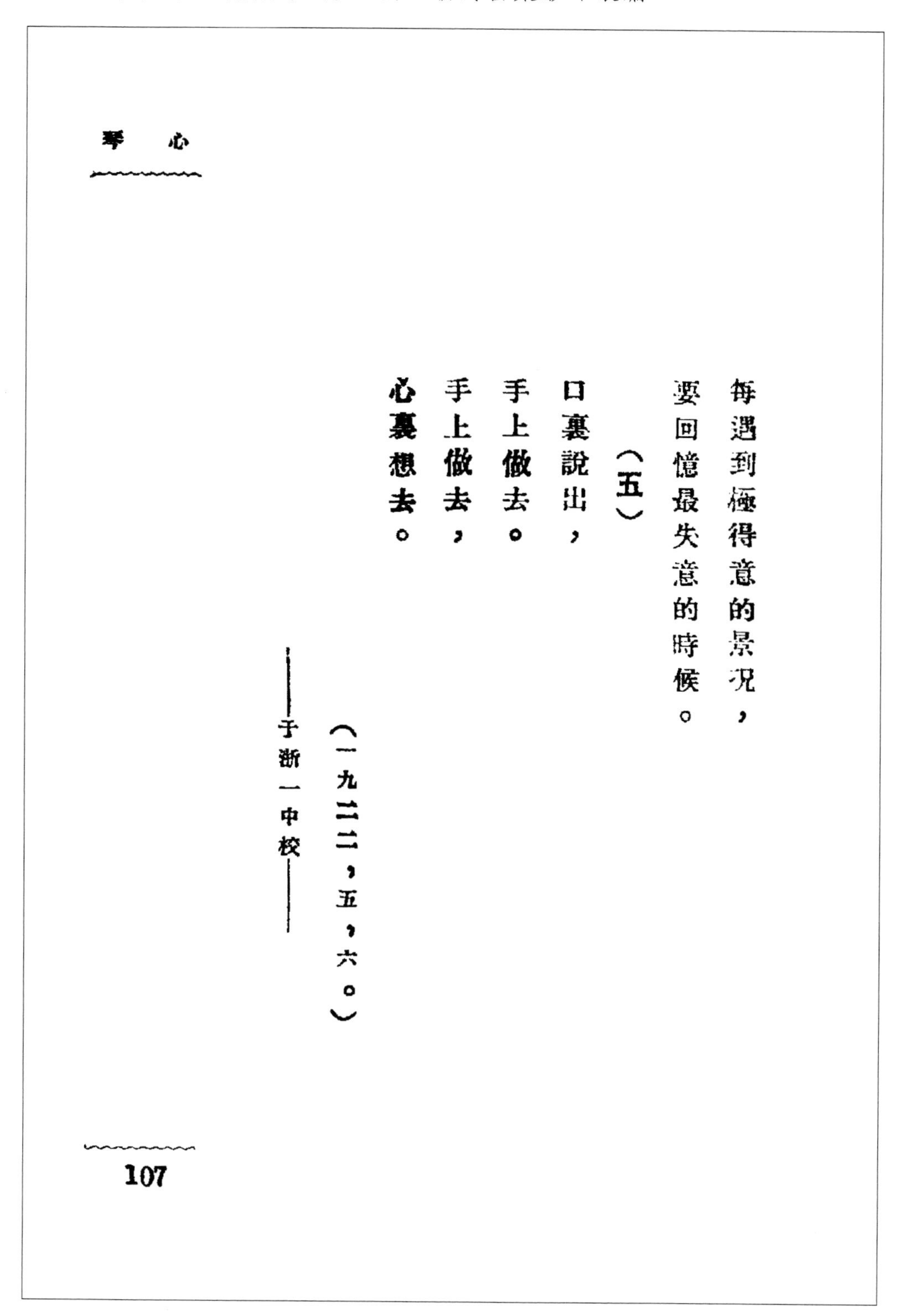

每遇到極得意的景況，
要回憶最失意的時候。

（五）

口裏說出，
手上做去。
手上做去，
心裏想去。

（一九二二，五，六。）

——于浙一中校——

心琴

第四輯

流淚

（一）

流淚兩行，
濕透袖頭，
滴在襟上。
爲甚這樣滴點不斷，
難道是淚之泉嗎？

（二）

點點的熱淚，
假若滴入愛河；
那末愛河裏也多添一句淚了。

（三）

假若這一勺淚，
由愛河更流到情海；
那末與情海中的同情之淚，
互相容解了。

（四）

想思是含有磁性的。
想思之念一起。
就要引出許多眼淚。

（五）

對同情人而能歡笑的，
不算爲眞同情人。

對同情人能灑同情之淚，
纔算爲眞同情人。

（六）

假若用這熱烈之淚，
去灌溉枯燥之心田。
那將痿的詩苗，
也悠然而起了！

（七）

爲同情而流的淚是慈憐的。
爲傷心而流的淚是痛恨的。
痛恨之淚，
究竟不及慈憐之淚温柔。

（八）

理不清的現在、
能使人煩悶的。
摸不着的將來，
能使人憂慮的。
回憶着的過去，
能使人悵惘的。
煩悶，憂慮，悵惘，
能更使人流淚的！

（九）

淚潮是遏制不住的。
等不到遏制他，

他已推波助瀾地來了！

（十）

青年之淚，
做成青春之酒。
這酒的滋味，
是甜蜜？還是辛酸？

（十一）

滿腔孤憤，
如何發洩呢？
——用淚來發洩吧！

（十二）

往事不堪回想，

假若回想，
無意中垂出眼淚兩行。

（十三）

想思之草，
羅滿心田。
經過熱淚灌溉，
想思之草更蔓延了！

（十四）

同情人飲到同情淚，
我想這淚當然是甜蜜了！

（十五）

人們嘲笑流淚者，

未免太不能自制了！
啊！當眼裏淚流出的時候。
淚人的心裏，
原是不曉得的！

（十六）

沒有熱淚的灌溉，
開不成情愛之花！

（十七）

我快樂的時候，
人們陪我歡笑了。
我悲哀的時候，
却未曾有人陪我流淚啊！

（十八）

濺淚入花，
花也笑了。
啊！伊何嘗懂得，
這淚是悲哀的！

（十九）

銀灰色的眼淚，
洗枯瘦的面頰。
這時若用鏡子一照，
也不識鏡中人了！

（二十）

秋夜的月，

是悽涼的。
風是冷酷的。
只有淚是熱烈的！

（二十一）

花心裏含着些露珠，
好似她心裏含着淚珠；
啊！原是淚人的眼看錯了。

（二十二）

淚人流的是熱淚。
旁人看的是冷眼。
這冷眼，
更能引出淚人的熱淚！

（二十三）

看了人的快樂，
就垂涎了。
看了人的痛苦，
就垂流淚的；
却很少了！

（二十四）

有許多人，
看不到伊們流淚的；
難道伊們沒有淚的嗎？
——淚何嘗沒有，
也許是伊們的良心不爲發現吧！

（二十五）

愛情是生命之花。
這花結果，
便是痛苦！

（二十六）

愛是能使生命愉快的。
但愛的熱度到了極點，
也能使生命痛苦的！

（二十七）

聰明是能減幸福而增痛苦的。
一分聰明能減少一分幸福，
更能加多一分痛苦！

（二十八）

人生受的痛苦，
是無盡期的。
假若有盡期，
我想必在雙目共瞑的時候。

（二十九）

滿腹的牢騷，
有誰知道？
只有深夜的孤枕，
染過我的眼淚。
晨起時的小鳥，
看過我的愁容。

（三十）

消不盡往日的舊恨。
添不了來日的新愁。
這方寸心田，
何能消受！

（三十一）

無窮的愁緒，
難受的煩惱。
畢竟向誰細訴，
——付諸流水吧！

（三十二）

社會是一個絕大的謬網。

不然，怎能包含一切的謬誤呢？

（三十三）

綿綿縷縷，
利刀割不斷的；
——只有想思罷

（三十四）

煩悶撥燃了心頭的憤火，
把一顆心燒成灰了。

（三十五）

生平所不能實現的事，
到夢中一切都實現了。
我想重入好夢，

可是司夢之神不許我了。

（三十六）

綿綿縷縷無形的想思，
假如綿綿縷縷有形的青藤。
我早已用刀斧斬伊斷了！

（三十七）

我的軀幹，
比深秋黃菊還瘦些！
誰知道我膺過了多少痛苦愁煩？
伊受過了多少冷風寒霜？

（三十八）

我居在虛無縹緲之間，

誰也不信。
我却信誰也居在虛無縹緲之間。

（三十九）
藕折斷了。
綿綿的藕絲，
依然不斷。
人離別了，
兩地的想思；
也是依然不斷。

（四十）
寸心已經碎了。
但綿綿縷縷的思思，

依然不斷。

（四十一）

當希望的時候，
這滋味是甜蜜的。
到了事實證明時，
却是乾枯了。

（四十二）

隔膜的微笑，
比嗚咽的哭聲還難受些！

（四十三）

故意裝出的笑容，
便是證明暗中的痛恨。

（四十四）

戀愛是利刀割不斷的。
如果利刀能割斷戀愛。
那末拔劍斬水，
水也可斷了！

（四十五）

久離纔聚的時候，
心坎中的千言萬語。
好似亂絲一般，
無頭抽起了。

（四十六）

夢中的幻境，

是變化無常的。
醒後的環境，
也是變化無常的。
夢中，醒後；
怎樣分別？

（四十七）

蓮子的苦心，
誰嘗伊的滋味呢？
詩人的心，
也何獨不然！

（四十八）

用淚做成酒，

用這酒來解愁；
豈不愁上更加愁嗎？

（四十九）

花在明媚而鮮麗的時候，
足以使人賞心的。
花到了枯槁而痿謝的時侯，
也足以使人傷心的。

（五十）

垂頭的花，
也居然做起伊的想思之夢了。
夢到了甜蜜時，
却被風驚醒了！

（五十一）

帶雨的梨花，
好似玉容流淚。
這淚好似爲淚人表同情而流的！

（五十二）

當花兒明媚而絢縵的時候，
人們爭先恐後去看了。
到了花落隨水漂流時，
誰也不去顧伊了。
只有不忘情的蜜蜂，
向空枝悲悼幾聲！

（五十三）

春風吹出小草的萌芽，
到夏天小草長大了。
誰知換了一陣秋風，
又幇她吹枯稿了：

（五十四）

花兒枯稿而將痿謝了。
我心痛到了極點！
願把我心頭的血，
眼角的淚；
灌漑將痿的心愛之花。

（五十五）

我用血淚灌漑活的花兒，

也不陪我流幾點同情之淚。
伊却依然地對我微笑！

（五十六）

東風吹得落花片片，
片片落花隨水漂流。
是東風無意逼她？
還是流水有情送她？

（五十七）

芭蕉啊！
你的心爲甚捲着不舒，
究竟有多少愁呢？

（五十八）

如果萱草眞能忘憂。
那末，我的一切憂愁；
也要付伊了！

（五十九）

早晨喚人的小鳥，
已醒的人感激伊。
夢中的人，
却恨伊多事了！

（六十）

聲聲叫着的暮蟬，
伊們也共鳴不平嗎？

（六十一）

蜜蜂呵！
人們嘗着你的蜜甜，
誰念到你做蜜時底辛苦！

（六十二）

寂寞而凄凉的秋夜。
唧唧不已叫着的蟋蟀。
助淚人嘆息，
也許是爲伊自己嘆息？

（六十三）

夜半哀鳴的孤雁。
難道伊忍不住失戀的痛苦，
而放聲大哭起來嗎？

（六十四）

啾啾唶唶，
悲鳴失依底痛苦似的，
——離巢的小鳥。

（六十五）

蜜蜂啊！
你太不體諒人了！
爲了你自己要做蜜，
採人的心愛花心。

（六十六）

破曉時嚶嚶的小鳥，
歡歌着東方的一線晨光。

難道伊們也不願久居黑沉世界嗎？

（六十七）

殘陽將沒時的烏鴉，
啞啞悲悼殘陽；
咳！何須悲悼，
不久就將入黑暗世界了！

（六十八）

晨鐘啊！
你的聲這樣凄清，
爲甚喚不醒人間甜夢呢？

（六十九）

罡風啊！

你吹移了地上這許多塵垢，
爲甚不帮人們腦中塵垢吹掉呢？

（七十）

月啊！
你的光是普照的。
但背陰的地方，
依然地黑暗着。

（七十一）

瞎子們！
他恨不能看到燦爛世界，
我却羡他看不見世間的怪狀，
這眞是他的幸福呢！

（七十二）

沒有熱血的灌溉，
開不成自由之花。

（七十三）

煩悶是與智慧者做伴侶的。
究竟是智慧者去找煩悶來？
還是煩悶來尋智慧者呢？

（七十四）

笑過於狂了，
眼眶裏流淚了。
啊！笑原是爲愉快而發的。
爲甚要流出淚來呢？

（七十五）

寫出的詩，
都帶着斑斑點點淚痕的。
誰知這詩苗，
受過淚泉灌溉的。

（七十六）

人們用微笑來安慰我，
我反添了些煩悶。
但願用眼淚來安慰！

（七十七）

使我再也不能忘情的，
對我流過淚的幾位伴侶。

（七十八）

在夢中流的淚，
醒後眼角還留着淚痕。
我想這淚爲夢幻而流，
太無謂了！

（七十九）

用血淚做成的酒，
這酒贈情人喝下，
伊心田中的淚潮，
也要湃滂而洶湧了。

（八十）

傷心之淚，

洗嫩白的臉。
誰知嫩白的臉，
也變爲憔悴了！

（八十一）

淚絲留不住離人，
淚絲却能逼走離人！
——因爲離人不忍看了。

（八十二）

斷腸人送斷腸人
怎能看到腹中腸斷呢？
——有兩行眼淚爲憑！

（八十三）

流淚人對流淚眼。
除了同情人，
只有鏡中人吧！

（八十四）

淚是含有血的。
不然，何以流過淚的眼眶，
就變爲血紅色呢？

（八十五）

詩人的淚泉之源，
比常人要遠些！
不然，爲甚有這許多？

（八十六）

有淚可揮，
還不算痛恨！
到了有淚揮不出的時候，
那更難消受了！

（八十七）

溫和的微笑，
能使人愉快的。
臨別的秋波，
能引人流淚的。

（八十八）

流水蕩蕩，
總洗不盡千秋塵垢。

眼淚汪汪，
怎能洗盡詩人舊恨呢？

（八十九）

兩行的眼淚，
能夠照出個中底心事的！

（九十）

測愛情的衡度是淚絲。
淚絲長了，
愛情深了：

（九十一）

愁眉一鎖，
流淚兩行；

不是同情人，
怎能理會得呢？

（九十二）

當明月照着淚人時，
明月團圓，
淚珠兒也是團圓；
到了明月缺時，
淚珠兒還依舊團圓着。

（九十三）

用情絲織成的手帕，
去拭想思之淚，
這淚愈拭愈多了！

（九十四）

淚流了這許多。
爲何還澆不息情炎呢？

（九十五）

當想思之月兩地共照時。
我想兩地的眼淚，
也許是同流的，
兩地的情炎，
也許是同燒的。

（九十六）

同情之淚，
流在一堆。

誰辨得出那幾點是我流的？
那幾點是伊流的？

（九十七）

同情的對語，
說出的時候。
誰聽得出是我說的，
還是伊說的？
——也許是兩人同口說出吧。

（九十八）

愛也流淚了。
恨也流淚了。
同是一樣的流淚，

却有不同的滋味：

（九十九）

淚流了這許多，
乾了嗎？
——淚何嘗流盡，
也許是向內流了！

（一百）

如果流淚能成河，
我願折一朵這河裏的浪花，
插在戀人的髻上。

（一百一）

我願這些熱烈的淚珠，

用情絲穿成一條頸鍊；

掛在天下同情人的頸上。

（一九二二，九，一二。）

——於浙一中學——

生命之果

（一）

生命之果，
假若是乏味的。
我決不願來生再吃！
假若是有味的，
今生已經嘗足了！

（二）

智慧之果，
當未嘗到之前；
何等地渴望啊！

渴望伊包含的是安慰，
　是快樂。
誰知嘗到之後，
便覺煩悶，痛苦了！

（三）

快樂，
在未來的希望中，
是過去的回憶時，
尋不到的是現在。

（四）

痛苦是證明快樂的利器。
未經飽嘗痛苦，

也決不能造成快樂！

（五）

快樂，我不去強求。

痛苦，只暫時忍受。

一顆水平式的心靈，

常灌溉着我生命之花。

（一九二二，八，十三。）

——於浙一中校——

歸宿

茫茫的大地上，
佈滿着荊棘，
偏設着火坑。
何處不是愁城呵！
何處不是苦海呵！
我的靈魂呀！
困入愁城了。
我的生命呀！
沉淪苦海了。
偉大而慈穌的死之神呵！

快來引我跳出愁城，
脫離苦海；
走入快樂的死之鄉。

* *

快樂的死之鄉喲，
我一切的煩悶，都消滅了。
一切的痛苦，都排除了。
一切的問題，都解決了。
一切的懷疑，都解釋了。
偉大而慈祥的死之神呵！
是我靈魂底安慰者，
是我精神底寄託者。

快樂的死之鄉喲，
躺在一個淨土築成的墓中，
四面的山水環繞，
前後的幽林擁抱，
春鳥的歌聲，
秋蟬的琴聲，
山花的笑聲，
野草的風聲，
時來伴着。
偉大而慈祥的死之神呵！
是我靈魂底安慰者，

是我精神底寄託者。

（一九二二，八，十六。）

——於浙一中校——

心琴

156

中華民國十四年四月初版

星光社叢書第一種　心琴（全）

每册定價洋五角
外埠酌加郵費

著者　姜卿雲

發行者　上海古今圖書店

印刷者　杭州弘文印書局

分售處　各省大書坊

O.Y.KIANG

花木蘭文化出版社聲明啓事

此次《民國文學珍稀文獻集成》出版，有賴各位作者家屬大力支持，慨然允贈版權，遂使這巨大的文化工程得以開展。我社全體同仁在此向各位致以誠摯的謝意！

由於民國作者人數眾多，年代久遠且戰火頻繁，我社傾全力尋找，遍訪各地，能夠找到的後人，得其親筆授權者，爲數甚寡。更多的情況是，因作者本人下落不明，連版權情況都無從知曉。

因此，我社鄭重聲明：

此叢書所錄專著，凡有在版權期內而未授權者，作者家屬可與我社聯繫，我社願奉送相關贈書 50 冊爲報酬，補簽授權協議。

望家屬看到此通知後與我社聯繫。聯繫信箱：hml@vip.163.com

花木蘭文化出版社

2017 年秋